ZEP

Glénat

Du même auteur :

Titeuf
PETITE POÉSIE DES SAISONS
Éditions Glénat

Les trucs de Titeuf :
LE GUIDE DU ZIZI SEXUEL
avec Hélène Bruller
Éditions Glénat

LE MONDE DE ZEP
Éditions Glénat

Captain Biceps
T1 : L'INVINCIBLE
T2 : LE REDOUTABLE
T3 : L'INVULNÉRABLE
T4 : L'INOXYDABLE

Comment dessiner ?
avec Tébo
Éditions Glénat

LES FILLES ÉLECTRIQUES
L'ENFER DES CONCERTS
Éditions Dupuis

LES MINIJUSTICIERS
avec Hélène Bruller
Hachette Jeunesse

DÉCOUPÉ EN TRANCHES
Éditions du Seuil

Les Chronokids
avec Stan & Vince
Éditions Glénat

www.zeporama.com
www.tcho.fr

Tchô! la collec'...
Collection dirigée par J.C. CAMANO

BP 177, 38008 Grenoble Cedex

ISBN : 978-2-7234-3269-6
Dépôt légal : août 2000
Achevé d'imprimer en France en mai 2009 par Pollina - L21916
sur papier provenant de forêts gérées de manière durable.

va te faire manipuler

la mission intergalactique

lâche-moi le pampers !
TITEUF, JE SORS UN MOMENT... TU T'OCCUPES DE TA SOEUR ?
SLAM
HEIN ?
HEU ...
MAIS ...
B...
B...
ET ÇA Y EST !
C'EST PARTI !!
BOUAAAAAAA
ALLEZ HOP ! LE BOUCHON !!
BOUA
CHTUG
AÏE !
WAOOOOO
POING
... ELLE S'EST DÉGOUPILLÉE TOUTE SEULE !!
'EGA' DE, ZIZIE...
'EST 'IGOLO !
TSAAAAM ! VOICI BABY-SITTERMAN !!
BANZAÏ !!
WAA
GNNBRMLLL... ÇA S'ARRÊTE JAMAIS, CE TRUC ?!!
OOUUAAAAAAAAAA
T'AS FAIM ?
TU VEUX DU LAIT ?
DU FROMAGE ...
WHISKY ?
REGARDE... ÔÔÔ IL NEIGE... ÔÔÔÔ...
BOUAA
ÔÔÔ
ZOULI LA NEIGE
TITEUF ?!!
QU'EST-CE QUE T... TU... ??
MAIS 'MAN... C'EST ZIZIE ...
EN PLUS, TU L'ACCUSES !??
ALLÔ ?... RAMON... TU CHERCHES TOUJOURS UNE POUPÉE QUI PLEURE POUR TA FRANGINE ?...
SNUK

le mystère du bonheur

les voleuses de nichons

touche pô à mes neurones

chez le psy

PAPA ET MAMAN ONT DÉCIDÉ DE ME SOIGNER LES MAUVAISES NOTES... ILS M'ONT AMENÉ VOIR UN PSY...

COMME DOCTEUR, IL EST TRÈS COOL...
TU PEUX CHOISIR DES JOUETS ET NOUS RACONTER UNE HISTOIRE, TITEUF...
21

...MAIS IL A DES JOUETS POURRIS...
DES PLAYMOBILS ⁉ VOUS AVEZ PÔ UNE PLAYSTATION ?
HEM

...JE LUI DONNE DES TRUCS...
...ILS SONT JUSTE EN ÉQUILIBRE... UN COURANT D'AIR ET ILS TOMBENT PAR LA FENÊTRE... ET AVEC LES SOUS DE L'ASSURANCE, VOUS ACHETEZ DES TRUCS MOINS RINGARDS ...
INTÉRESSANT...

...IL EST SYMPA...
LUI, C'EST FULGURATOR, IL DÉSINTÈGRE LA MAÎTRESSE ...
TRÈS BIEN ...

IL TROUVE TOUT "INTÉRESSANT" OU "TRÈS BIEN"
ET POURQUOI LE CHIEN A FAIT... EUH... UN 'CACA NUCLÉAIRE' ?
BEN... PARCEQU'IL A MANGÉ DES CROQUETTES ATOMIQUES !
INTÉRESSANT

APRÈS, IL EXPLIQUE AUX PARENTS QUE J'AI UNE "PERSONNALITÉ IMAGINATIVE"...
...RIEN DE GRAVE.

MAIS QUAND MA "PERSONNALITÉ IMAGINATIVE" A RAMENÉ UN NOUVEAU ZÉRO, ILS ONT FAIT UNE CRISE...
?

ILS ONT UN PROBLÈME, C'EST SÛR.
VOUS DEVRIEZ VOIR UN PSY...

le bal des vampires
POUR LA FÊTE CHEZ NADIA, JE ME SUIS FAIT UN COSTUME DE SQUELETTE...
WAF
WOUF
CASSEZ-VOUS !

MANU S'EST DÉGUISÉ EN ZOMBIE...
2 BALLES DE PING PONG ET UN ÉLASTIQUE ...
ET TU Y VOIS QUELQUE CHOSE ?
SÛR!

... RAMON EN FANTÔME...
J'A PRIS OUNE VIEUX DRAP À MA GRAND-MÈRE !
ÇA FAIT HYPER PEUR...
BUNK

GÉNIAL ! JEAN-CLAUDE S'EST DÉGUISÉ EN VAMPIRE !
OUAF OUAF !
PFÔV' TFYPES !!
LE DÉGUIVEMENT EST DANS MON FAC !

LES FILLES, ELLES SONT TOUTES VENUES EN SORCIÈRES...
HÉ DUMBO, T'AS PÔ EU BESOIN DE CHANGER GRAND-CHOSE !
OUAF!
OUARK!
BANDE DE NULS !! JE VOUS CHANGE EN CRAPAUDS POURRIS !

CHACUN A TROUVÉ UN TRUC...
... AVEC UN VIEUX BALLON DE FOOT DÉCOUPÉ ...
...DE LA CONFITURE DE FRAISE.
T'AS PAS TROUVÉ MON BALLON ?

COOL !! TU T'ES DÉGUISÉ EN ROULEAU DE PAPIER DE CHIOTTES !
HA ! HA !
... OÙ ÇA ?

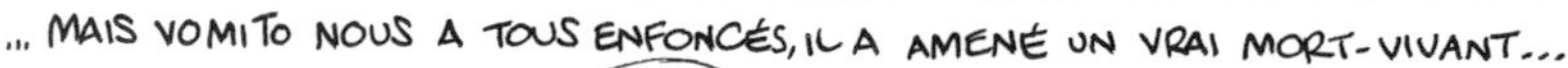
... MAIS VOMITO NOUS A TOUS ENFONCÉS, IL A AMENÉ UN VRAI MORT-VIVANT...

JE DOIS GARDER MON PÉPÉ ...

LA CLASSE. ...
WAAA!
BALÈZE.

mars attack

LA CLASSE !! LE TYPE, IL A RÉUSSI À PRENDRE UNE SOUCOUPE VOLANTE EN PHOTO !!
PFEUH ! FACILE !
UFO

ON VA LES ÉPATER !! J'AURAI QU'À LANCER UNE ASSIETTE PAR MA FENÊTRE ET TOI -CLIC- TU FAIS UNE SUPER PHOTO !

... ET ON LA VEND DES MI'IONS !
AH OUAIS PÔ CON ...

PRÊT ?
PRÊT !
TOP !

Z Z Z Z Z Z Z Z
CRASH

TU L'AS EUE ?!
... NON
BON. JE RECOMMENCE

ZWAONN
À TOI !
ATTENDS ! J'ÉTAIS PAS PRÊT !!

J'EN ENVOIE TOUT UN ESCADRON !!
MARS ATTACK !
ZBLING

ALORS ? C'EST BON ?! ON PEUT PASSER DANS LES JOURNAUX !?
BEN...

EN FAIT, J'CROIS QU'IL Y AVAIT PAS DE FILM DEDANS ...
QUOI ?!

TITEUF ! TU AS DÉJÀ FINI LA VAISSELLE ?

CONDAMNÉS À UN MOIS DE CORVÉE-PLONGE... 'SONT DURS, LES MARTIENS !!
RALENTIS PÔ !! ON RISQUE LE LASER-FESSÉE !
Z.

la neige molle

la fièvre du lundi matin
ENCORE AU LIT !??
TU AS VU L'HEURE !??
ALLEZ ! DEBOUT !!
BEUH... CHUIS MALADE ...

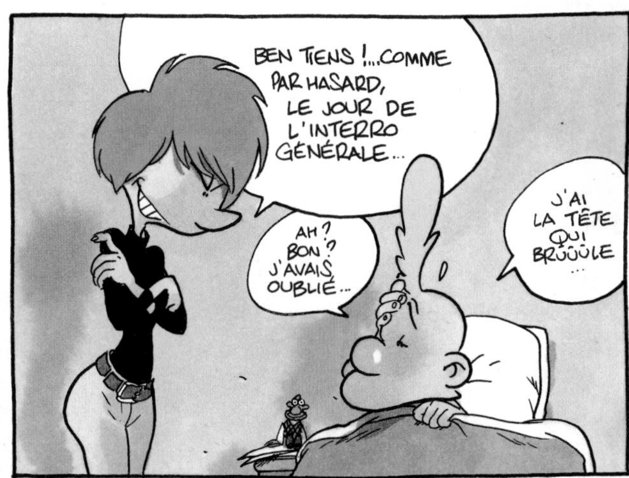
BEN TIENS !... COMME PAR HASARD, LE JOUR DE L'INTERRO GÉNÉRALE...
AH ? BON ? J'AVAIS OUBLIÉ...
J'AI LA TÊTE QUI BRÛÛÛLE ...

BIEN. ON VA COMMENCER PAR VÉRIFIER TA TEMPÉRATURE !

JE REVIENS DANS 3 MINUTES !

ALORS... VOYONS LA FIÈVRE DE CE GRAND MALADE...
ZOUF

45 DEGRÉS !!!
OUILLE- J'AI- TRÈS- MAL...

VITE ! IL FAUT FAIRE TOMBER LA FIÈVRE !
?
45° !

UNE DOUCHE GLACÉE ! ÇA DEVRAIT FAIRE DE L'EFFET !
AÏE

UN REFROIDISSEMENT LE JOUR DE L'INTERRO GÉNÉRALE !
'Y EN A QUI ONT DE LA FFanFE !

pétoline
TCHÔ ! J'AI AMENÉ PÉTOLINE, LE LAPIN DE MA SOEUR...
... IL POURRA JOUER AVEC LE TIEN !
MH ?

C'EST UN MÂLE OU UNE FEMELLE ?
HEIN ? EUH... PÉTOLINE ? BEN ... UNE FEMELLE ...
T'ES SÛR ?

BEN OUAIS
COMMENT TU LE SAIS ?
C'EST FACILE ! LES MÂLES ONT JAMAIS PLUSIEURS COULEURS ...
... ET ILS ONT LES MOUSTACHES FONCÉES !

LE MIEN, C'EST UNE FEMELLE, ET ELLE A LES MOUSTACHES NOIRES !
BEN C'EST PARCE QU'ELLE EST DE MAUVAISE QUALITÉ !
... TU T'ES FAIT AVOIR !

ELLE EST DE BONNE QUALITÉ ! C'EST TOI QU'T'Y CONNAIS RIEN DU TOUT !
J'M'Y CONNAIS ! J'AI VU TOUS LES BUGGS BUNNY !!
MILLE BALLES QUE PÉTOLINE C'EST UNE FEMELLE !

MILLE B... !!
HÉ ! QU'EST-CE QU'IL FAIT, TON LAPIN ?!
HEIN ?
BEN... C'EST RIEN, ÇA ...
NIK NIK

ELLE LUI GRATTE LE DOS... C'EST TOUT.
AH OUAIS ?
C'EST UN RITUEL.
NIK
NIK

DIS DONC, ELLE A PAS L'AIR D'APPRÉCIER LE RITUEL, LA MIENNE !
MAIS, LAISSE-LES JOUER...
OHLALA...
IIIK
IIIK
NIK NIK

VIENS, PÉTOLINE, ON RENTRE ...
... IL EST PÔ COOL, VOMITO.

TU ME DOIS MILLE BALLES !
HEU... GLP FÉLICITATIONS ...
JE PEUX PAYER EN CAROTTES ?
Z.

l'effet magique
ELLE VOUS FAIT DE L'EFFET ?
OFFREZ-LUI BROMHÜR
OH !

BROMHÜR© LE PARFUM QUI FAIT CHAVIRER LES COEURS !
T'EN AS PAS DANS TA SALLE DE BAINS ?
... POUR FAIRE CHAVIRER LE COEUR DE NADIA.

aissell'fresh© RAFRAÎCHIT APRÈS UN MATCH DE RUGBY...
C'EST PAREIL.
ÇA DOIT ÊTRE À MON PÈRE, IL REGARDE TOUJOURS LE RUGBY À LA TÉLÉ ...

SI ÇA MARCHE À LA TÉLÉ, ÇA VA MARCHER AVEC NADIA !
SÛR.

JE LE METS SOUS MON T-SHIRT POUR L'EFFET DE SURPRISE !
T'AS RAISON.

VAS-Y !

NADIA... JE... HEU...
KESTUVEU ?

HEU... JE... MM... TU ME FAIS DE L'EFFET ...
OUAARGH

OBSÉDÉ !
ENCORE UN MENSONGE DE LA PUB ...

le ballon cosmique

Jimi hendrix
PAPA ET MAMAN ONT DÉCIDÉ QUE JE DEVAIS APPRENDRE UN INSTRUMENT...
INSCRIPTIONS
SAISON COURS
ET LE PIANO ? C'EST BIEN, LE PIANO ...
HEU... 'Y A PÔ UN TRUC AVEC MOINS DE NOTES ?
PLUNK

...AVEC MOINS DE NOTES, IL Y A LA FLÛTE ...
NAN... LA FLÛTE, ÇA FAIT FILLE...

... QUI-NE-FAIT-PAS-FILLE, AVEC MOINS DE NOTES... LE TRIANGLE !
ÇA ! J'VEUX ÇA !!

BIEN. JE T'INSCRIS POUR MERCREDI AU COURS DE GUITARE ...
...ÉLECTRIQUE RAJOUTEZ ÉLECTRIQUE !

LE MERCREDI SUIVANT, LES GUITARES, ELLES ÉTAIENT PÔ DU TOUT ÉLECTRIQUES...
... LA GUITARE SÈCHE OU CLASSIQUE SE COMPOSE D'UN CORPS ET D'UN MANCHE...

DVV DVV DVVVV DVV
HÉ !
M'SIEUR ! IL POSTILLONNE SUR MA GUITARE !

BEN, COMME ÇA, ELLE SERA MOINS SÈCHE, TA GUITARE !
PFFF... EN PLUS, TU SAIS MÊME PAS LA TENIR COMME IL FAUT !!

J'LA TIENS COMME DJIMI HENDRIX, MA GUITARE ! PÔV'TYPE !
AH OUAIS ? IL LA TENAIT COMME UNE RAQUETTE ?
IL ÉTAIT TENNISMAN ?
ON SE CALME !

VOILÀ CE QU'IL TE DIT, LE TENNISMAN !
CRUSH

ALORS ? TU ES UN GRAND MUSICIEN ?
UNE STAR DU ROCK !
FACTURE
... D'AILLEURS, LE PROF VOUDRAIT UN AUTOGRAPHE...
Z.

pépé, il est vachement fort

zizie-la-terrible
MA PETITE SOEUR, POUR LA FAIRE MANGER, C'EST PÔ SIMPLE...
OOOOOOUVRE LA BOUCHE!

Y'A LA TECHNIQUE DE L'AVION...
BZZZROAR VRSHHHH OUVREZ L'AÉROPORT!

CELLE DU CONVOI SPÉCIAL...
TUF-TUF-TUF-TUF-TÛT TÛT!

DU CLOWN...
'ALUT 'ES EN'ANTS!

DE L'ATTAQUE PAR SURPRISE...
ELLE A PAS AIMÉ.

DES CHATOUILLES...
GUILI-GUILI
HOP!
HI HI HI HI

HUM.
PAS TERRIBLE...
PRFFT HI HI!

... LA TECHNIQUE NULLE.
ATTENTION, ZIZIE! SI TU NE MANGES PAS VIIIITE CETTE CUILLÈRE, C'EST TITEUF QUI VA TE LA PIQUER!
MAIS...

MAIS ON FINIT TOUJOURS PAR TROUVER LE BON TRUC.
MONSIEUR CROCODILE A QUELQUE CHOSE POUR TOI!

... AVEC LES PARENTS C'EST PLUS COMPLIQUÉ...
HEU...
... Y'A MONSIEUR CROCODILE QUI VOUDRAIT VOUS FAIRE SIGNER SON LIVRET...
Z.

la relève
À LA COLO, L'ÉTÉ DERNIER, ON S'EST MARRÉS ...
BUS
HAHA

... C'EST SURTOUT GRÂCE À LUCIEN ...
LES MECS, VOUS AVEZ VU MES CHAUSSETTES ?

SACRÉ LUCIEN ...
DOUCHE
LES MECS, VOUS AVEZ PAS VU MES HABITS ?

QUEL DÉCONNEUR ! ...
HÉ LUCIEN ! CHICHE QUE T'ARRIVES PAS À PASSER DERRIÈRE LA VACHE QUAND ELLE LÈVE LA QUEUE !
MAIS SI...
... C'EST FASTOCHE !

BEN, LES MECS... VOUS AVEZ VU ? ELLE A ...
RÔÔÔH.
OUAF
ARK

... UN ROI DU RIRE ...
QUI A MIS DES PIERRES DANS LE SAC DE LUCIEN ?!
FFFF

INFATIGABLE ...
LES MECS ... ILS ONT AUSSI UN DRÔLE DE GOÛT, VOS SANDWICHES ?
OUAF ARF
QUI A PRIS MA CRÈME POUR LES PIEDS ?!

UNIQUE ...
HÉ LUCIEN ! C'EST LA BOUM, CE SOIR... 'FAUT TE METTRE DU PARFUM... ÇA PLAÎT AUX FILLES !
AH ? MERCI, LES MECS ...
WC

ÇA PUE, ICI !
ON SE CROIRAIT AUX CHIOTTES ...
BEN ?... ELLES SONT NULLES, CES FILLES ...?
LES MECS
OUAHAHA

TCHÔ LES MECS !
SALUT TITEUF !
TCHÔ

ET LUCIEN ?
IL VIENT PAS, CETTE ANNÉE.
AH BON ?

J'AI L'IMPRESSION QUE ÇA VA ÊTRE BEAUCOUP MOINS MARRANT ...
BEN ? ...
LES MECS, VOUS AVEZ VU MES CHAUSSETTES ?

Z.

ma p'tite soeur-à-moi
NAN MAIS JE LE CROIS PÔ, LÀ !!! ZIZIE A TAGUÉ MON POSTER DE JUMP RODGERS !!
TITEUF !
Jump Rodgers
ELLE NE SE REND PAS COMPTE ! TU DOIS ÊTRE GENTIL AVEC ELLE...
ALORS, POURQUOI C'EST JAMAIS SES JOUETS QU'ELLE MASSACRE ?!
DÉJÀ QUE MA CHAMBRE, C'EST DEVENU BARBIE-LAND !
J'EN AI MARRE !!
IL FAUT T'Y FAIRE, C'EST AUSSI SA CHAMBRE... ET MAINTENANT, JE NE VEUX PLUS DE BAGARRE !
SCRATCH
love boys
C'EST NOUS LES FILLES LA LA LA LA
JE VOUS PRÉSENTE MON FRÈRE.
WAOW...
T'AS DE LA CHANCE...
IL EST MIGNON...
IL EST SEXY...
ON PEUT SE FAIRE LA BISE ?
T'ES MA P'TITE SOEUR CHÉRIE !
...MAIS SI TU POUVAIS PRENDRE DES VITAMINES POUR GRANDIR VITE...
?
?

le pistolet désintégrateur

TANTAAAAAN
TSAAAM
TSSAAAM
TANTAAAN
JE VAIS PULVÉRISER TES MOLÉCULES POURRITES !
DISPARAIS !
SWOUSHH
MON 501 !!
LE GRAND DIEGO DIT QUE TITEUF S'EST VOLATILISÉ !
ALORS CA MARCHE !!!

le scrabble de la mort

QUAND JE SUIS CHEZ PÉPÉ ET MÉMÉ, IMPOSSIBLE D'Y COUPER...

DEPUIS CE JOUR, JE DÉTESTE LE SCRABBLE **ET** LE FOOT.

cataclysman

les vacances à la mer
C'EST ENCORE LOIN ?
MUUT
BEEP

C'EST PARCE QUE PAPA A JAMAIS DE TRAVAIL QU'ON N'A PÔ PU Y ALLER EN AVION ?

C'EST TOUT CE QU'IL Y A COMME SANDWICH ?
WC

C'EST VOUS QUI AVEZ DEMANDÉ UN BALCON AVEC VUE SUR LES POUBELLES ?
OTEL

BRRRR... ON POUVAIT PÔ ALLER DANS UN ENDROIT OÙ L'EAU ÉTAIT PLUS CHAUDE ?

POURQUOI T'AS ACHETÉ DE LA CRÈME QUI PUE ?

Y'EN A MARRE ! ÇA FAIT À PEINE UN JOUR QU'ON EST LÀ ... ET TU RÂLES TOUT LE TEMPS !!
FICHE LE CAMP !... VA CHERCHER DES CARTES POSTALES !

J'RÂLE PÔ DU TOUT... JE POSE DES QUESTIONS ...
'SONT NERVEUX DU SLIP... OU QUOI ?

HALLO... ICH HEISSE PETRA ...

tchô manu, ici c'est mégatop génial !!! (je vais même apprendre des nouvelles langues) cool ! t.
'FAUT PAS CHERCHER À COMPRENDRE ...

les vacances à la mer 2

Les vacances à la mer 3

les vacances à la mer 4

Super gag
PRR...
REGARDE... Y A UN SUPER GAG À FAIRE !
?
HOP !
RRUMFL
OUAF
OUARK
ARF
BÔV' DAZES !
BOURRIS DU ZIZI !
EXCELLENT !
OUAF
À MOI !
PPRRR...
HOP !
RSPRONF
OUARK
ARF
T'AS VU COMME JE L'AI EU !?
ZBLETCH
EUH... TU VEUX UN MOUCHOIR ?
FRED TEBO & ZEP.

challenger

ÉVIDEMMENT, SI ELLE JOUE PÔ LE JEU...

manu-la-toupie

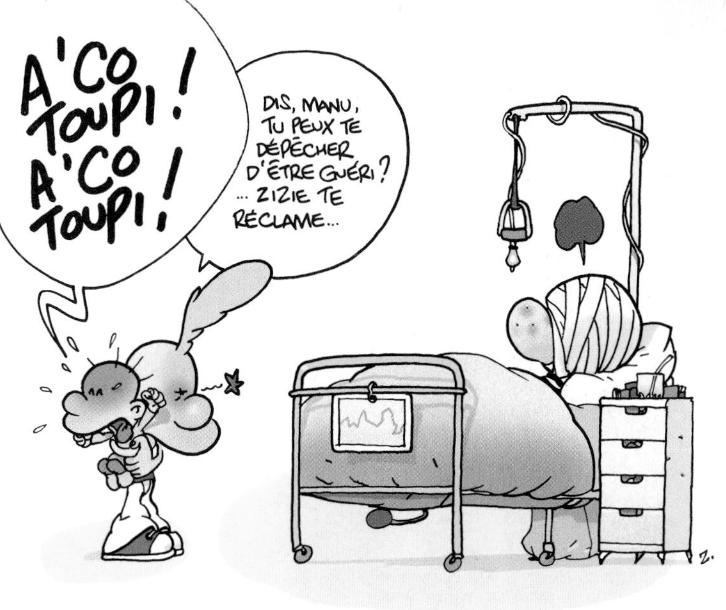

Les risques du rackett

'Y A UN GRAND QUI A ESSAYÉ DE NOUS RACKETTER...
FILE-MOI TON FRIC, MICROBE !

IL A COMMENCÉ PAR VOMITO, QUI EST VACHEMENT ÉMOTIF...
AAAAAAH !

APRÈS, IL A ESSAYÉ AVEC JEAN-CLAUDE...
AU FFFFCOURS ! ON M'AGREFFE !!

ENSUITE, IL A VOULU PIQUER LES NIKE DE PUDUK...
GN
GN

POP

DEPUIS, ON L'A PLUS REVU...
'PARAÎT QU'IL EST À L'HÔPITAL.
ON POURRAIT LUI RENDRE VISITE...
BONNE SNRF IDÉE
SNFL

du chocolat pour un monde meilleur

no futur
C'ÉTAIT UNE DE CES DISCUSSIONS OÙ CHACUN DISAIT CE QU'IL VOULAIT DEVENIR ...
COSMONAUT
OUNE AGENT SACRET
TOP MODEL
TFRAVAILLER DANS UNE FFTAFION FERVIFE
BANQUIER
PAPE
DESSINATEUR DE BÉDÉ

... ET TOUT À COUP :
MOI, PLUS TARD, JE SERAI MAÎTRESSE.

MAÎTRESSE? COMME LA MAÎTRESSE ?!? MAIS?? C'EST NUL ! Y'A PLEIN D'AUTRES TRUCS À FAIRE ... CHAMPIONNE D'ÉQUITA- TION ... PLAYMATE ... EUH ...
BEN MOI, JE SERAI MAÎTRESSE.

ALORS LÀ, JE SUIS SCIÉ ! MAÎTRESSE... C'EST HORRIB'
C'EST UNE FILLE

T'IMAGINES, SI ON SE MARIE ... J'AURAI L'AIR DE QUOI ?
QU'EST-CE QU'IL A ?
NADIA VEUT DEVENIR MAÎTRESSE ...

REGARDE LE BON CÔTÉ ... SI TU CONTINUES À RE-DOUBLER, TU FINIRAS PAR L'AVOIR COMME PROF !
TU CROIS ?
SI ÇA SE TROUVE, C'EST UN TRUC POUR RESTER AVEC TOI ...

TU... TU CROIS ?
ÇA M'ÉTONNERAIT PAS ...
... AVEC LES FILLES

NADIA ! TU VEUX PÔ ÊTRE MA MAÎTRESSE TOUT DE SUITE ?!?
... J'AI DES SCIENCES NATURELLES À RÉVISER !

ZMAK

OUAIS ! BEN... PROFITE !!!
... PARCE QUE DANS QUELQUES ANNÉES, JE TE COLLE UN PROCÈS !!!
DUR
GLP
Z.

papa est un lâcheur
SAGE !
TJSS
TCHÔ LES MECS !
IL S'APPELLE CARNAX ... C'EST MON PÈRE QUI ME L'A ACHETÉ !

MOI, MON PÈRE, IL EN A UN VACHEMENT PLUS GRAND... UN BOUVIER ...EUH... BELGE... IL MANGE DES TONNES DE VIANDE !

F'EST RIEN ! MON ONCLE, IL CONNAÎT UN TYPE... IL A UN BOA ! IL LUI DONNE À MANVER DES FOURIS VIVANTES !
PFFFF

MOI JE CONNAIS UN GARS QUI A VU À LA TÉLÉ UN MEC QUI AVAIT DES MYGALES ET...
C'EST NUL ...

C'EST NUL ! C'EST NUL ! 'PIS TOI ? T'AS RIEN COMME ANIMAL ? D'ABORD !
MON PÈRE, IL A UN STREPTO-COQUE.

UN STETOQUOI ?
... "STREPTOCOQUE" ! VOUS POUVEZ PÔ CONNAITRE, C'EST HYPER-RARE.
ON L'A JAMAIS VU !

IL L'A DEPUIS DEUX JOURS... JE VOUS L'AMÈNERAI SI VOUS ÊTES SAGES !
ALLEZ ... TCHÔ !
ALLEZ JOUER AU NONOSSE...

QUOI ?!
COMMENT ÇA, "UNE BACTÉRIE MICROSCOPIQUE" ?!
TU VEUX MA MORT ?!
Z.

nadia L'HOMME QUE J'AIMERAI...

... N'AURA PAS DE SECRET POUR MOI...
NADIA, VOUS LISEZ DANS MON COEUR.

HÉ ! LA COPIEUSE ! REGARDE PÔ MA FEUILLE !

IL S'INTÉRESSERA À LA NATURE...
REGARDEZ, NADIA... UNE COLOMBE.
FLAP FLAP FLAP FLAP

OUARF ! OUARF !
ÇA, C'EN EST AU MOINS UNE DE BRONTO-SAURE !

IL ME PARLERA D'UNE VOIX TENDRE...
NADIA
NADIA
NADIA

NADVIA !!! T'ES FOURDE OU QUFOI ?! TFU ME PFRÊTES TA GVOMME ?!

DÈS QU'IL ENTRERA QUELQUE PART, L'ATMOSPHÈRE SERA DIFFÉRENTE...

GNN
PROUT

IL SERA FORT, MAIS IL AURA BESOIN DE MOI...
AAAAÏE ! J'AI DE LA SCIURE DANS L'OEIL !
PAUVRE AMOUR !

NADIA : SNRFL : J'AI BESOIN D'UN MOUCHOIR, T'EN AS UN ?
SNRF

ET TOI NADIA ? PLUS TARD, TU TE MARIERAS AVEC QUI ?
MON OURS EN PELUCHE !

le réseau atomique
VAS-Y... 0-9-8
0-9-8
MUT MUT
?

SALUT LES FILLES !
OUAF !
BZZZZ

C'EST MON NOUVEAU PORTAB'-VIBREUR-ULTRA-COMPACT !!
PRÊTE ! J'VEUX ESSAYER !
HI HI

RAPPELLE DANS UNE MINUTE ! J'VAIS FAIRE PEUR AUX FILLES !!
OK !

HÉ NADIA ! REGARD' !!
...

HEU... ATTENDS... ÇA VA ÊTRE DRÔLE ...
HUM

BON. ON TE LAISSE T'AMUSER TOUT SEUL.
NON ATT... OUPS... J'AVAIS APPUYÉ SUR "OFF"
HIN HIN
TIP

ÇA Y EST ! ÇA MARCHE DE NOUVEAU !!
T'AS UN PORTABLE, TOI ?
T'AS PAS PEUR DES RADIATIONS ?

... DES RADIATIONS ?
OUI ! TU PEUX ATTRAPER LE CANCER DE L'OREILLE ...

... OU LE CANCER DU CERVEAU ... ENFIN, TOUT CE QUI EST COLLÉ CONTRE CE MACHIN ...
MAIS RASSURE-TOI, POUR LE CERVEAU, TU RISQUES RIEN !
GLP.
HI HI
J'AI... J'AI RISQUÉ LE ... CANCER DU ZIZI ?!!

SALETÉ RADIOACTIVE

MON PORTAB' !!
TU ME REMERCIERAS PLUS TARD
JE T'AI ÉVITÉ LE CANCER DU SLIP !

Z.

moi j'aime bien l'art
... SURTOUT LA SCULPTURE.

ON PEUT COMPLÉTER LES STATUES...

ON EST UN PEU ARTISTES NOUS-MÊMES...
PFFF

HYPER-CRÉATIFS...
GROUILLE !!

ON RAJOUTE CE QUE LE SCULPTEUR AVAIT OUBLIÉ...

LE PETIT DÉTAIL QUI FAIT TOUT...
signez pour me faire sortir de prison

ON EST DES GÉNIES INCOMPRIS...
MARCELUS DUCHNOK

... MAIS AVEC L'ART CONTEMPORAIN, ON EST BRIMÉS.

C'EST NUL.

Place aux Jeunes
J'AI LA LISTE DES AMOUREUX DE NADIA !! J'AI LA LISTE !!
FAIS VOIR !
FAIS VOIR !
PREMIER... GLPS ! GAËTAN KROOO... ?!
HEIN ?
C'EST QUI, ÇA ?!
QUOI ?
QUI ?
C'EST UN DE LA CLASSE DES PETITS... AVEC DES LUNETTES ET UN BLOUSON DE CUIR...
QUOI ?!
J'SUIS OÙ ?
MAIS ? C'EST PÔ VRAI ?! ELLE PEUT PAS ÊTRE AMOUREUSE D'UN PETIT !?!
... AVEC DES LUNETTES, EN PLUS !
PFUH ! C'EST UNE FILLE !
ET MOI ? V'FUIS COMBIEN ?
HÉ ! PSSST !
C'EST LUI.
FRRRRRR
C'EST PÔ POSSIBLE ! ÇA PEUT PAS ÊTRE LUI !?!
NADIAAA ! ÇA SE PEUT PÔ !! T'ES PAS AMOUREUSE DE CE SPERMAZOTOÏDE À LUNETTES ?!
HEIN ?
VOUS POUVEZ PAS COMPRENDRE... IL EST DIFFÉRENT.
QUOI ?! MAIS... MAIS... MOI AUSSI, JE SUIS DIFFÉRENT !
PFFF
T'AS QU'À PRENDRE JEAN-CLAUDE... IL EST MÉGA DIFFÉ-RENT !!
PÔF TFYPE !
VE VAIS T'EXFPLOVER LA GUEULE !
FALAUD !
LÂCHE-MOI LE SLIP !
J'ME SUIS FAIT UN LOOK DIFFÉRENT !
... TU PEUX PÔ COMPRENDRE !!
Z.

Krok Lunett
TIENS ! VOILÀ LE PLAYBOY EN PAMPERS !
"KROK LUNETT" HA ! HA !

ALORS ? T'AS DEMANDÉ UNE DÉROGATION POUR ÉPOUSER NADIA ?
TU VAS L'EMMENER JOUER AU SABLE ?
HIN ! HIN !
TAP TAP

MAIS ARRÊTEZ À LA FIN !!
J'M'EN FICHE, MOI, DE NADIA !
ELLE EST VIEILLE !

GÉNIAL !
ÇA C'EST UN SCOOP !

NADIA ! JE VIENS DE DEMANDER À KROK LUNETT...
IL T'AIME PÔ !
T'ES TROP VIEILLE !
VOILÀ ... TOC

ZKLAFF

TU VEUX MA PHOTO, JEAN-CLAUDE ? ... T'AS DE NOUVEAU TES CHANCES... ELLE CHERCHE UN AUTRE MOCHE ...
MAIS PLUS VIEUX !

ZBENG

HOULÀ !
AÏE !
HÉ !

C'EST TOI QUI EMBÊTES MON PETIT FRÈRE ? ..

'PARAÎT QUE L'AMOUR, ÇA BRISE LE COEUR ...

JE ME DEMANDE SI J'AI PÔ LE COEUR SUR LA FIGURE ...
OUILLE ...

techno-prout

la secte-à-la-nul
BONJOUR LES ENFANTS ...
?
... VOICI UN PETIT LIVRE QUI VA VOUS INTÉRESSER.
" ÉGLISE DE SCIEN... TO... LOGIE "... ? C'EST QUOI, CA ?
MOI, JE SAIS ! C'EST UNE SECTE !!
NON NON
T.T..
VENEZ VOIR ! Y'A UN TYPE D'UNE SECTE !!
COOL
... APRÈS, VOUS VOUS RASSEMBLEZ EN ROND ET VOUS VOUS METTEZ LE FEU ?!
NON NON... PAS DU TOUT !
VOUS COMMUNIQUEZ AVEC LES EXTRA-TERRESTRES ?
HÉ HÉ.. NON NON
VOUS FAITES DES ORGIES ?
VOTRE CHEF EST MILLIARDAIRE ?!
VOUS FAITES DES TRUCS SEXUELS ?
VOUS AVEZ UNE CAGOULE ?
LA SCIENTOLOGIE C'EST UNE SCIENCE !
ÇA SERT À QUOI ?
... À DÉVELOPPER VOS... VOS CAPACITÉS SCOLAIRES ...
PAR EXEMPLE, VOTRE POTENTIEL-MATHÉMATIQUE ...
BWAANUL !
QUEL MINABLE !
C'EST DU BIDON... C'EST MÊME PAS UNE VRAIE SECTE.
OUAIS
LA SCIENTOLOGIE, UNE SECTE QUI SE FAIT PASSER POUR UNE ORGANISATION SCIENTIFIQUE ...
... NOTRE ENQUÊTE.
PÔ DU TOUT !
ILS SE FONT PASSER POUR UNE SECTE ! ... MAIS C'EST DES PROFS DE MATHS DÉGUISÉS !!
Z.

mes parents redoublent

GASTRONO-HONTE...

Z. & DUPLAN

la bombe glaviomique

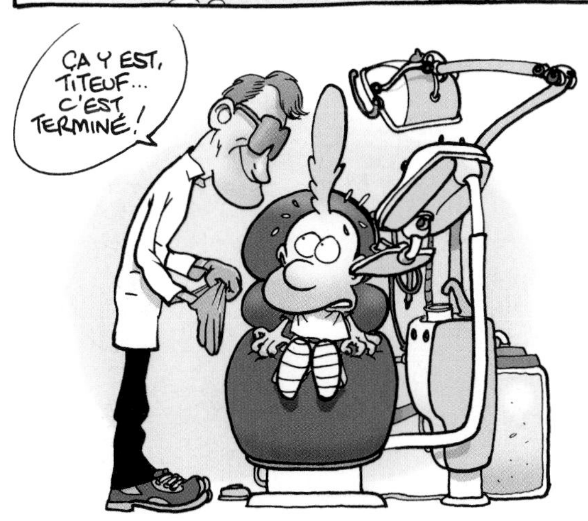

la ferme pédagogique

le soutif sauveur
PAPA?
MH?
MAMAN, ELLE A COMBIEN DE TOUR DE POITRINE?
HEIN?
BEN...
1 MÈTRE?
NON... PAS UN MÈTRE...
10 CENTIMÈTRES?
TU SAIS PÔ?
ELLE A DU C
C? ÇA VEUT DIRE GROS OU PETIT?
NON!
C ÇA VEUT DIRE C!
... C'EST LA TAILLE!
COMME ÇA?
NON.
PLUS QUE ÇA?
ARK
OUI!
PLUS QUE ÇA?
OUI!
...PLUS QUE ÇA?
OUI!!
TU AS VRAIMENT MONTRÉ ÇA À TON PÈRE?
JURÉ! IL A DIT OUI... ET QU'IL NE VOULAIT PLUS EN PARLER...
TSSS
Z.

la première fois

POUR FINIR, C'EST PÔ SI DIFFICILE DE SORTIR AVEC UNE FILLE... ON S'EST MÊME BIEN MARRÉS.

maths
10